张迁碑

名家教你写

视频精讲版

◎虞晓勇 编

中原出版传媒集团
中原传媒股份公司
河南美术出版社
·郑州·

图书在版编目（CIP）数据

张迁碑／虞晓勇编．— 郑州：河南美术出版社，2023.2
（名家教你写：视频精讲版）
ISBN 978-7-5401-6065-4

Ⅰ．①张…　Ⅱ．①虞…　Ⅲ．①隶书－碑帖－中国－汉代
Ⅳ．①J292.22

中国国家版本馆CIP数据核字（2023）第005290号

名家教你写　视频精讲版

张迁碑

虞晓勇　编

出 版 人　李　勇
责任编辑　王立奎
责任校对　王淑娟
装帧设计　张国友
出版发行　河南美术出版社
　　　　　地　　址　郑州市郑东新区祥盛街27号
　　　　　邮政编码　450016
　　　　　电　　话　0371-65788152
印　　刷　河南瑞之光印刷股份有限公司
经　　销　新华书店
开　　本　889mm×1194mm　1/16
印　　张　2.5
字　　数　32千字
版　　次　2023年2月第1版
印　　次　2023年2月第1次印刷
书　　号　ISBN 978-7-5401-6065-4
定　　价　25.80元

出版说明

《张迁碑》全称《汉故穀城长荡阴令张君表颂》，东汉灵帝中平三年（186）二月刊立。现藏于山东泰安岱庙。此碑高267厘米，宽107厘米。《张迁碑》的拓本以明拓本为佳，后人将碑中『东里润色』四字的保存程度作为鉴别该碑拓本年代的重要标准，而明拓本也因此被称为『东里润色本』。

在书法艺术上，《张迁碑》具有非常鲜明的特色，被人们视作『方笔』汉隶的代表。此碑方厚凝重的笔意往往被学书者看作是治疗笔弱之病的良方。因而学习《张迁碑》如果不能够得其『方』，也就谈不上得其情味。基于此，不少学书者在临习该碑时，常会刻意摹画，甚至夸张其笔画的『方』形，力求做到棱角分明。但是这样处理的结果并不尽如人意，随之则会出现书写死板、僵硬、做作等问题。

在笔画形态上，《张迁碑》尽管以方峻意味作为基调，但仔细品味其中的范字，我们可以感受到，在斩截峻拔的方笔中，时常会参用遒劲浑厚的圆笔，以达到刚峻之力与含忍之力的完美统一。圆笔的运用一方面可以极大丰富笔画的意趣，增加其艺术性，避免由于过分追求方峻而带来的单一与刻板的问题；另一方面，从传统笔趣看，适当运用圆浑的笔形也能够增加篆籀气，并由此带来古趣。

从体势层面上看，『方』也是《张迁碑》的一大特色。和《曹全碑》《石门颂》《华山碑》等汉隶名作相比，《张迁碑》的体势具有鲜明的端方朴茂特色。从字形上看，该碑字形多为正方、扁方或是长方，和《曹全碑》等作品不同。它弱化了主次笔之间的长度反差，使整个字的外形趋于齐整化，整体的张力也由此具有了向内聚敛的特点。为了使字形端方，《张迁碑》还运用了一些特殊的手法。比如，在笔画处理上，主笔力求横平竖直，外框的转折则方直劲挺，以构建大的方正框架。在字内布白上，该碑笔画的分布也强调一种齐整化的效果。它往往会弱化隶书笔画的『波』势，使笔画之间的关系表现得匀实而紧密。例如『九』『荒』等字的处理就颇有意思。为了做到笔画布白匀实，其变斜为直，化圆为方，原本应为波挑的笔形被改造成了竖画。

《张迁碑》中多变的笔形之所以能够自然生动，一个重要的原因就在于这些笔画的形态是随势而生的。比如『吾』字，笔画较少，浑厚的横画就可以大大充实字内空间，其产生的张力足以使其他笔画聚集在它的周围。而『兴』字的笔画较多，尤其是上部笔画的分量很重。因而其横画要显现出力扛千斤的韧性，同时笔形又不宜过重，以免产生气息滞涩的问题。总而言之，只有做到『朴』，『方』才能具有特殊的生命感，我们临碑的时候，也才会具有一种真正的书写感。

在许多学书者的印象中，经典的法书必然是与某位书法名家相系。从中国书法史上看，『书以人名』也似乎成为了一条重要规律。但毋庸置疑，真正的艺术品一定要有生命与文化，这其中的生命精神更是艺术品的根本所在。许多曾经因『人名』而显赫的书迹，就因为缺乏这一根本性的元素而被后人逐渐遗忘。《张迁碑》虽然不是名家手笔，但它在历经千年之后依然迸发出勃勃生机，使我们每一位欣赏者都为其生命精神所感染，这就是它的艺术价值所在。

为方便书法爱好者学习，我们特邀请书法名家虞晓勇老师对全书进行通篇临摹示范，并选取范字进行讲解。另外，我们还运用现代科技手段，制作成二维码，扫码即可观看讲解视频，以飨读者。

君讳迁字公方

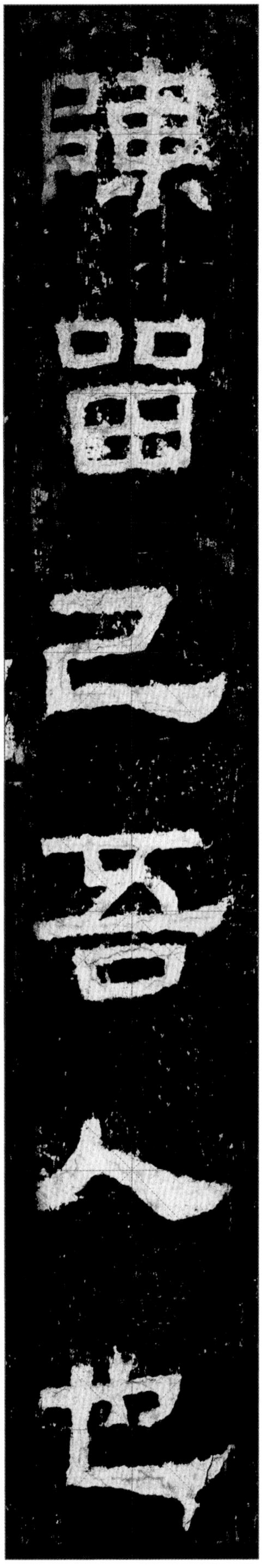

陈留己吾人也

君之先出自有

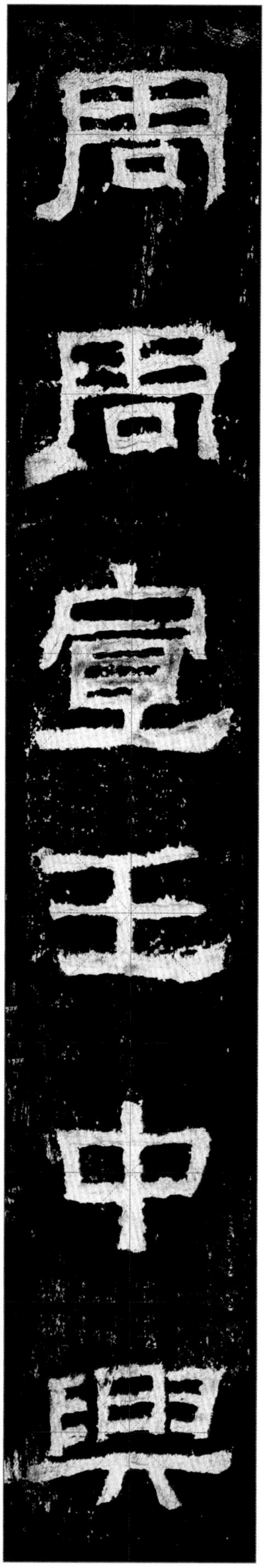

周周宣王中兴

有张仲以孝友

为行披览诗雅

焕知其祖高帝

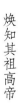

龙兴有张良善

用筹策在帷幕

之内决胜负千

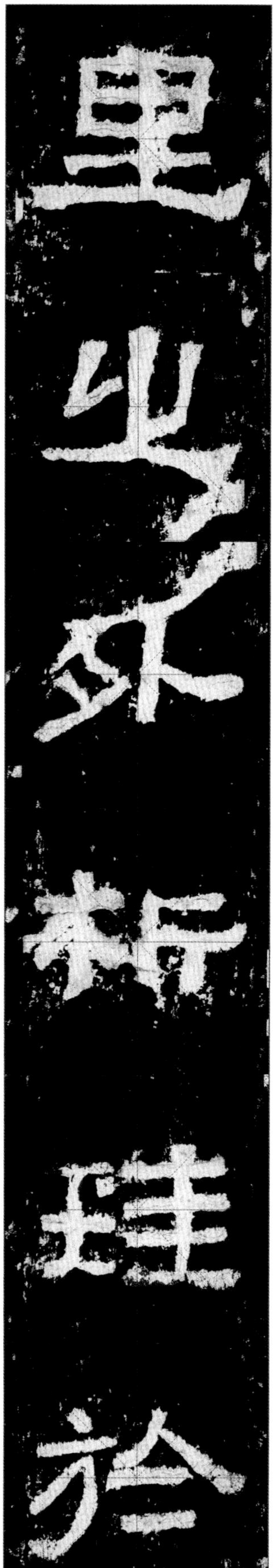

里之外析珪于

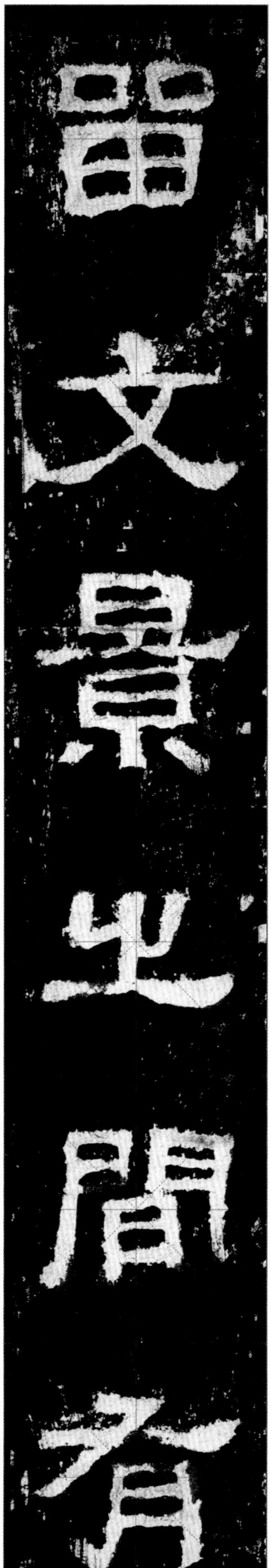

留文景之间有

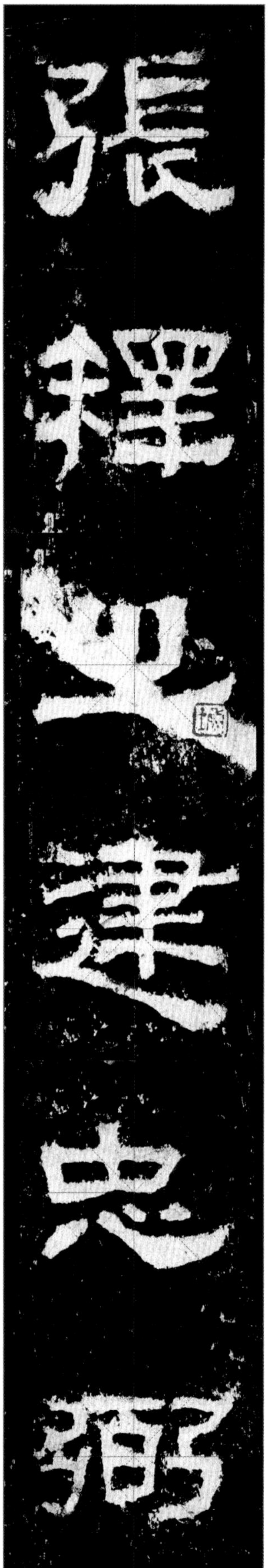

张释之建忠弼

之谟帝游上林

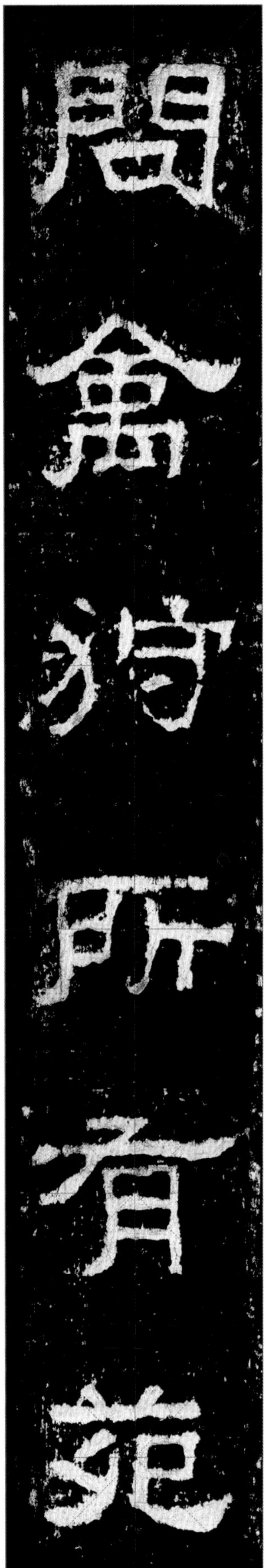

问禽狩所有苑

令不对更问啬

夫啬夫事对于

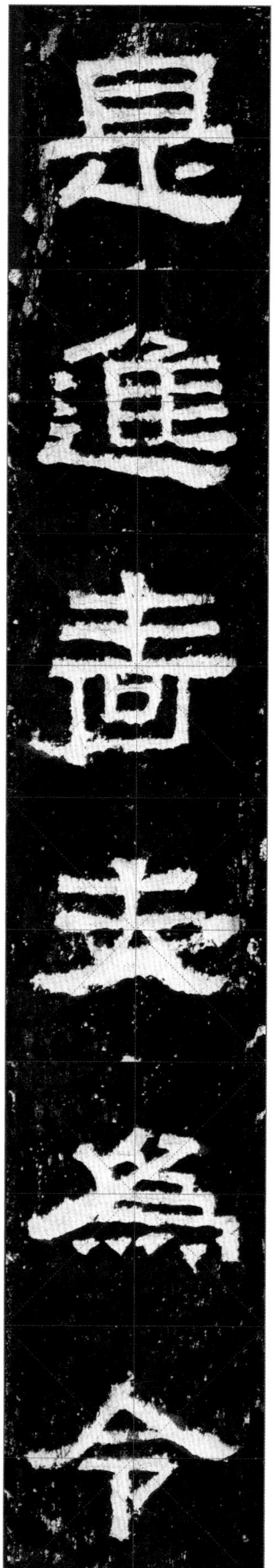

是进啬夫为令

令退为啬夫释

之议为不可苑

令有公卿之才

啬夫喋喋小吏

非社稷之重上

从言孝武时有

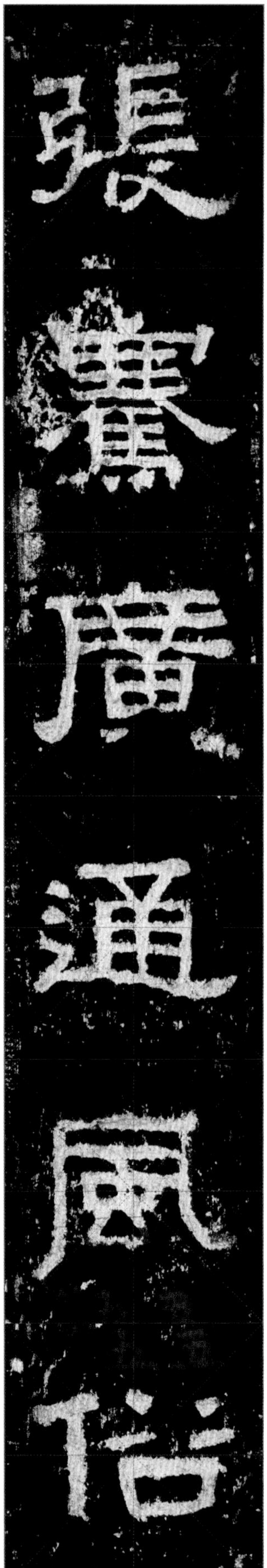

张骞广通风俗

开定畿宇南苞

八蛮西羁六戎

北震五狄东勤

九夷荒远既殡

各贡所有张是

辅汉世载其德

爰既且于君盖

其缠縺缵戎鸿

绪牧守相系不

殒高问孝弟于

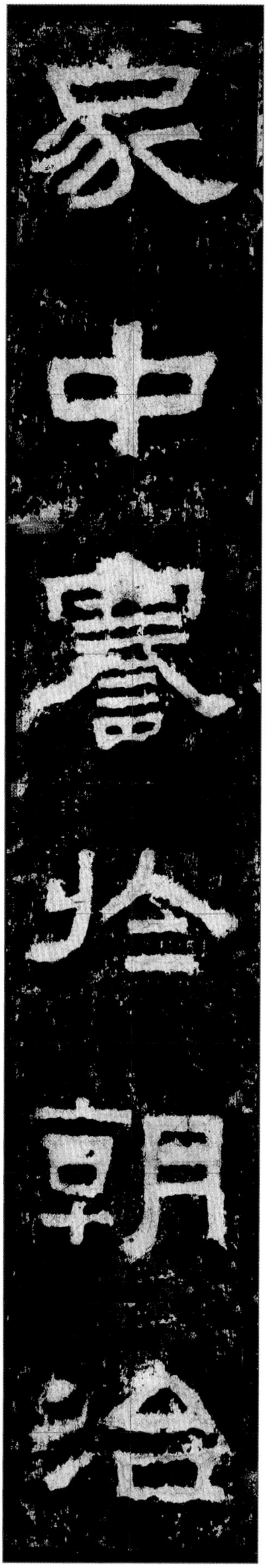

家中謇于朝治

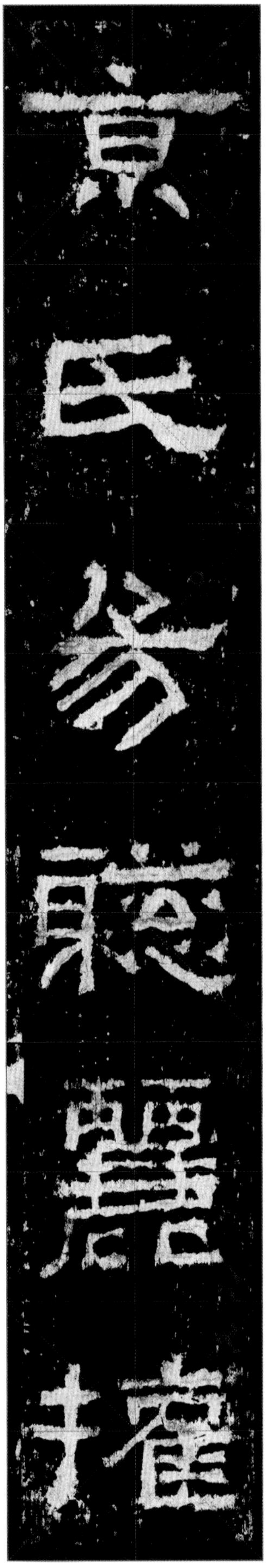

京氏易聪丽权

略艺于从畋少

为郡吏隐练职

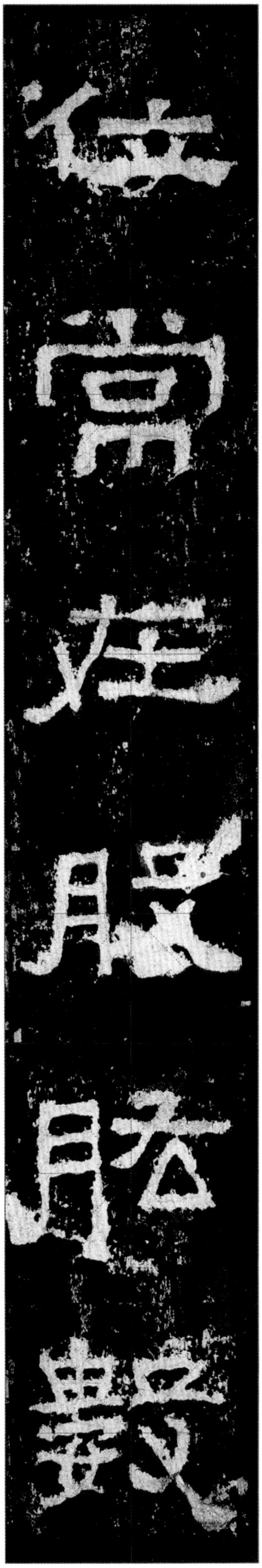

位常在股肱数

为从事声无细

闻征拜□中除

縠城长蚕月之

务不闭四门腊

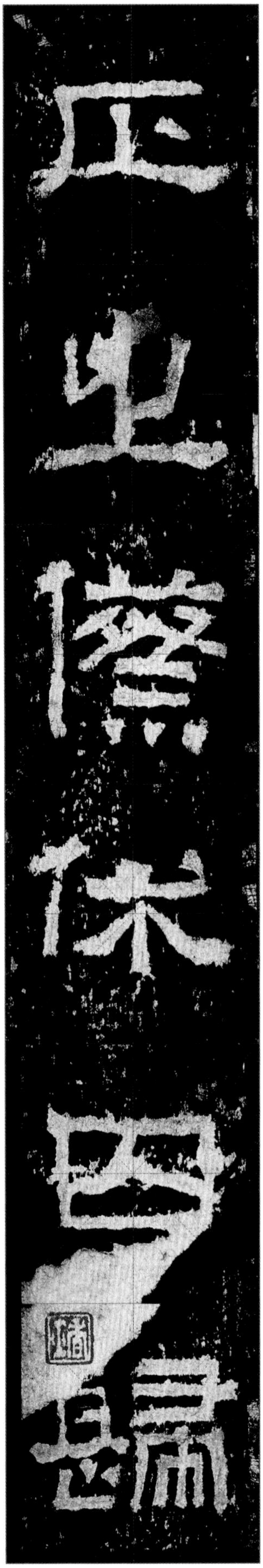

正之傺休囚归

贺八月筭民不

烦于乡随就虚

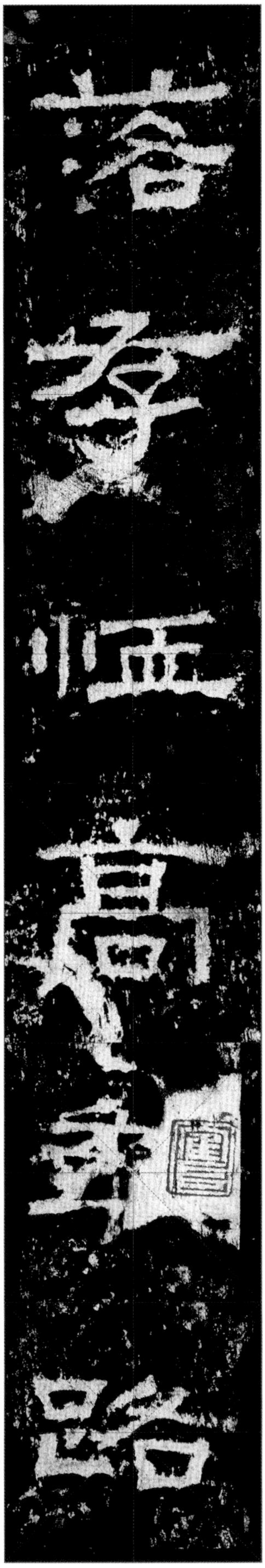

落存恤高年路

无拾遗犁种宿

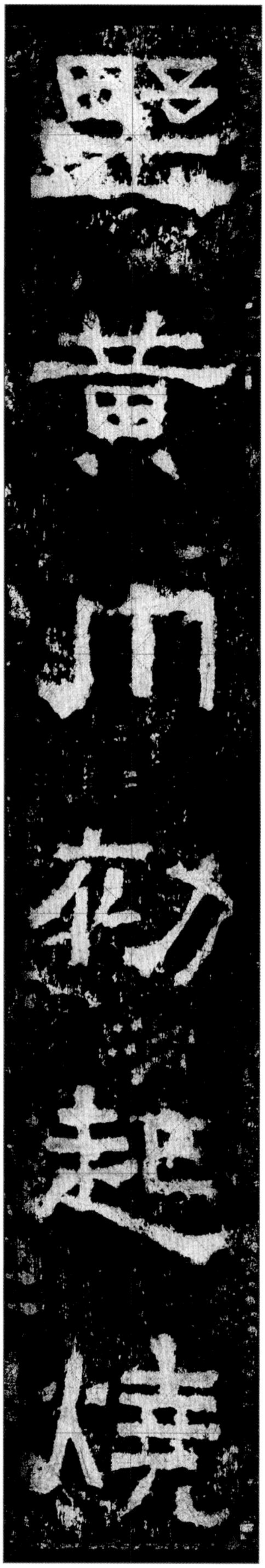

野黄巾初起烧

平城市斯县独

全子贱孔蔑其

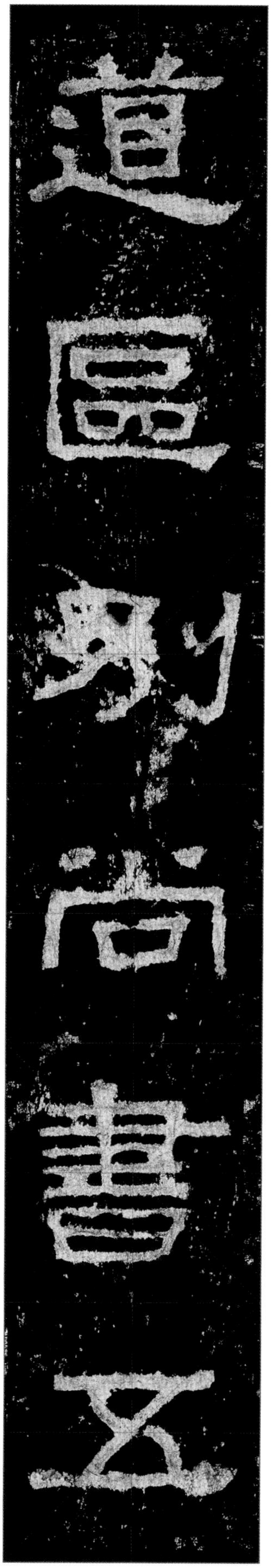

道区别尚书五

教君崇其宽诗

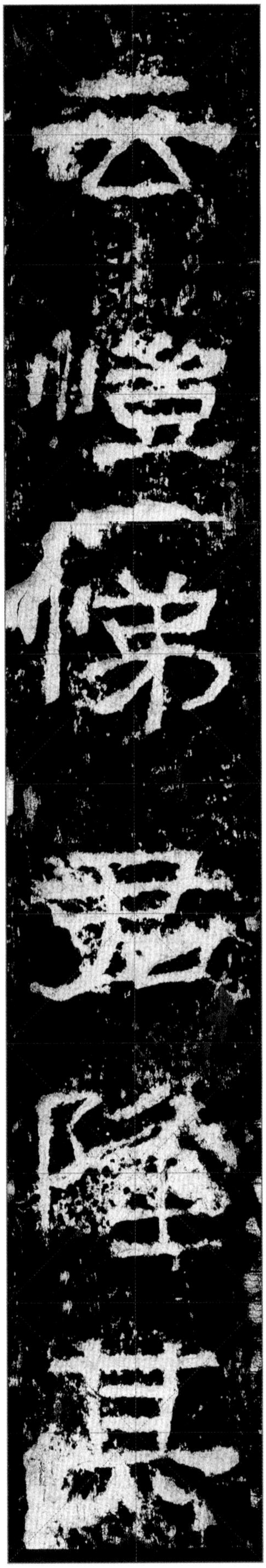

云恺悌君隆其

恩东里润色君

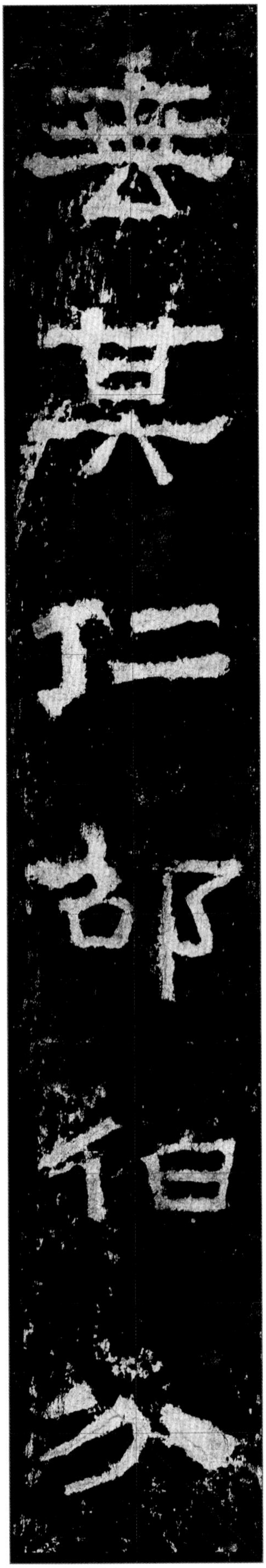

垂其仁邵伯分

陕君懿于棠晋

阳珮玮西门带

弦君之体素能

双其勋流化八

基迁荡阴令吏

民颉颃随送如

云周公东征西

人怨思奚斯赞

鲁考父颂殷前

哲遗芳有功不

书后无述焉于

是刊石竖表铭

勒万载三代以

来虽远犹近诗

云旧国其命惟

新

于穆我君既敦

既纯雪白之性

孝友之仁纪行

求本兰生有芬

克岐有兆绥御

有勋利器不觌

鱼不出渊国之

良干垂爱在民

蔽沛棠树温温

恭人乾道不缪

唯淑是亲既多

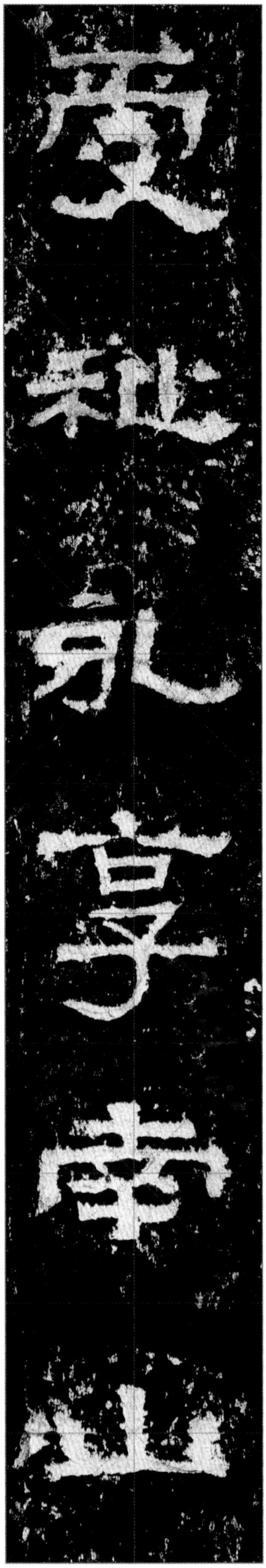

受祉永享南山

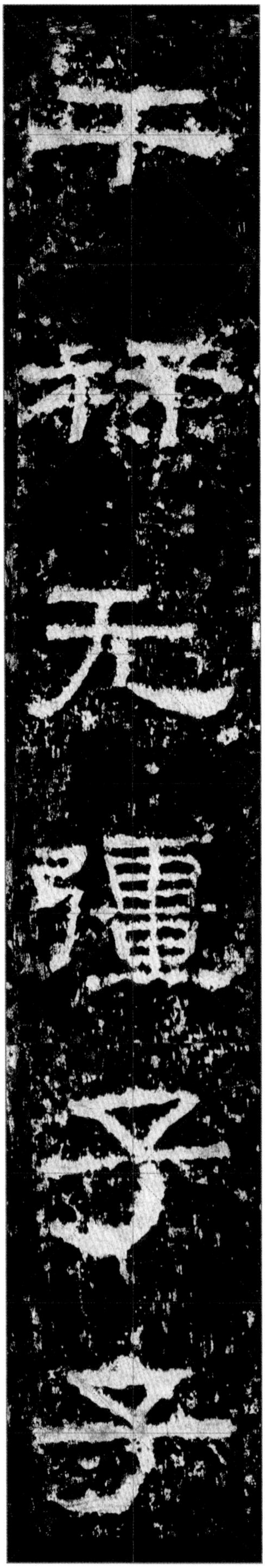

干禄无疆子子

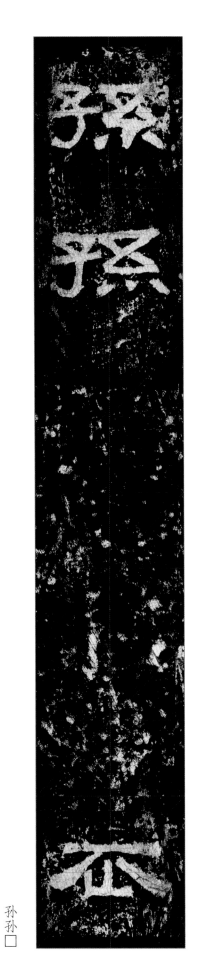

孙孙□

惟中平三年岁

在摄提二月震

节纪日上旬阳

气厥析感思旧

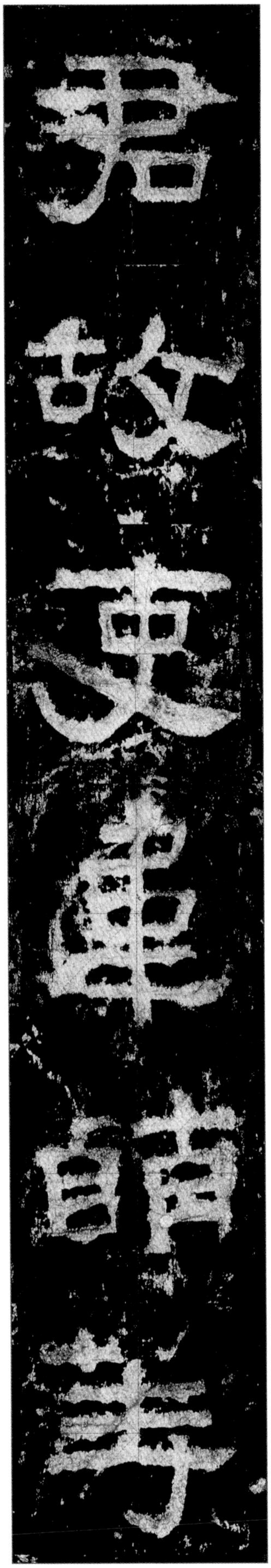
君故吏韦萌等

佥然同声赁师

孙兴刊石立表

以示后昆共享

天祚亿载万年

君

讳

迁

字

周

宣

雅

张

焕

行

高

诗

善

帝

用

兴

在

良

有

幕

忠

于

谟

留

不

禽

更

所

问

苑